Julia von

Ruth Koller

Ich lese selber
NORD SÜD VERLAG

Gerda Marie Scheidl

Loretta und die kleine Fee

Bilder von
Christa Unzner-Fischer

Nord-Süd Verlag

Die Deutsche Bibliothek - CIP-Einheitsaufnahme

Loretta und die kleine Fee / Gerda Marie Scheidl, Bilder von Christa Unzner-Fischer. - Gossau, Zürich ; Hamburg : Nord-Süd-Verl., 1993
(Ich lese selber) ISBN 3-314-00579-2
NE: Scheidl, Gerda Marie; Unzner-Fischer, Christa

© 1993 Nord-Süd Verlag AG, Gossau Zürich und Hamburg
Alle Rechte, auch die der Bearbeitung oder auszugsweisen Vervielfältigung, gleich durch welche Medien, vorbehalten.
Reihengestaltung: Peter Fischer Sternaux
Umschlagbild: Christa Unzner-Fischer
Lithographie: Photolitho AG, Gossau Zürich
Satz: Hissek Satz & EDV, Konstanz
Gesetzt in der Garamond, 15 Punkt
Druck: Proost N.V., Turnhout
ISBN 3 314 00579 2

2. Auflage 1993

Inhalt

Eine richtige Fee

Loretta lief in den Garten.
Sie wollte mit ihrer Puppe spielen.
Hinter den Brombeerbüschen stand
eine alte Gartenbank.
Dort spielte Loretta am liebsten.
Sie setzte Puppe Annabella auf die Bank
und sich daneben. „Autsch!" hörte sie
ein feines Stimmchen. Loretta hopste
von der Bank. Sie sah sich um. Niemand
war zu sehen. Aber da hatte doch jemand
„autsch" gesagt. Nicht laut. Aber Loretta
hatte es ganz deutlich gehört.

Loretta horchte. Es war seltsam still im
Garten. Nur die Bienen summten.
„Ich muß geträumt haben", murmelte sie,
stand von der Bank auf und setzte sich
gleich wieder hin.
„Aua! Paß doch auf!" Da war es wieder,
das zarte Stimmchen.
„Oh!" Vor ihr auf der Gartenbank
saß ein kleines Mädchen.
„Hast du ‚autsch' gesagt?" fragte Loretta.
„Ja!" flüsterte das kleine Mädchen.
„Meinst du, es tut nicht weh,
wenn du dich auf mich draufsetzt?"
„Wieso setz ich mich auf dich drauf?
Du warst doch gar nicht da!"
„Du hast mich bloß nicht gesehen",
sagte das kleine Mädchen. „Also, zuerst
bin ich immer unsichtbar."

„Unsichtbar? Wie kommt denn das?“
staunte Loretta.
„Du stellst aber Fragen! Feen sind immer zuerst unsichtbar. Und damit du es weißt, ich bin eine Fee.“
„Eine richtige Fee?“ Loretta lachte.
„Du bist aber eine komische Fee mit deinen Strubbelhaaren und in Jeans! In meinem Märchenbuch sehen die Feen ganz anders aus. Viel hübscher.“

„Na und? Aber ich bin wirklich eine Fee“,
sagte das kleine Mädchen.
Loretta schüttelte den Kopf:
„Das gibt’s doch nicht.“
„Paß auf, ich werd es dir beweisen.“
Das kleine Mädchen spitzte den Mund,
dann blies es beide Backen auf,
und – schwupp – war es verschwunden!

Loretta blickte auf die Bank.
Von dem kleinen Mädchen war nichts
mehr zu sehen.

„Hallo!“ rief Loretta zaghaft.
„Hallo!“ antwortete das zarte Stimmchen.
„Na sowas...“, Loretta wartete.

Da hörte sie das Mädchen wieder –
hinten im Gebüsch!
„Glaubst du mir nun, daß ich eine
Fee bin?“
„Hm“, Loretta zögerte. Sie hatte in ihrem
ganzen Leben noch nie eine Fee gesehen.
Doch stand nicht in ihrem Märchenbuch,
daß Feen zaubern können? Und hatte sich
das kleine Mädchen nicht eben weg- und
wieder herbeigezaubert?
Das kleine Mädchen war eine Fee!
Loretta nickte heftig: „Ich glaub dir!“
„Fein!“ juchzte die kleine Fee.
„Und was kannst du sonst noch zaubern?“
fragte Loretta neugierig.
„Sonst nichts!“ Die kleine Fee
wurde traurig. „Das ist es ja.
Erst wenn ich groß bin,
kann ich mehr zaubern.“
„Mit Hokus-Pokus und so?“
fragte Loretta.
Die kleine Fee nickte.

„Doch leider sagen die Großen Feen,
ich hätte nur Unsinn im Kopf.
Und deshalb würde ich auch nur Unsinn
zaubern!“ Die kleine Fee flatterte dabei
mit den Armen wie ein Schmetterling.

„Und weil ich noch nicht erwachsen bin,
darf ich mich nur wegzaubern.
Und ich muß noch viel lernen.
Das sagen jedenfalls die Großen Feen."
„Was mußt du denn lernen?"
fragte Loretta.
„Wenn ich das nur wüßte!"
Die kleine Fee ließ die Arme sinken
und hüpfte ins Gras.

„Das muß ich selbst herausfinden, hat die Große Oberfee zu mir gesagt.“ Die kleine Fee seufzte. „Aber wie? Ich werde wohl immer eine kleine Fee bleiben … außer du hilfst mir!“

Opas Kirschsuppe

Loretta wollte gerne helfen.
Aber woher sollte sie wissen, was eine kleine Fee tun muß, um groß zu werden?
Loretta überlegte. „Ich hab’s!“ rief sie.
„Du mußt Kirschsuppe essen!“
„Kirschsuppe essen?“ fragte die kleine Fee erstaunt.
„Ja! Mein Opa sagt, wer Kirschsuppe ißt, der wird groß und stark!“
Und beide liefen zu Lorettas Opa.

Lorettas Opa lachte und kochte
für die beiden gleich Kirschsuppe.
Die kleine Fee aß vier Teller leer,
Loretta auch. Das war zuviel.
Beide bekamen Bauchweh!
Die kleine Fee jammerte und verschwand.
Auch Loretta lief heim.

Und was jetzt?

Am nächsten Tag trafen sich die beiden
wieder im Garten.
Die kleine Fee hockte in einem leeren
Blumenkübel.
„Kirschsuppe essen hat nichts genützt“,
sagte sie weinerlich.

Loretta dachte nach. Plötzlich rief sie:
„Ich hab's! Du mußt Lesen und Schreiben lernen! Alle Großen können lesen und schreiben!“
„Lesen und schreiben?“
„Ja! Oder kannst du das schon?“
Die kleine Fee schüttelte den Kopf. „Nein, keine Ahnung ...“
„Ich kann's schon“, sagte Loretta stolz.
„Wenigstens ein bißchen. Das lern ich in der Schule.“

„Toll!“ Die kleine Fee sprang aus dem Blumenkübel. „Ich will auch Lesen und Schreiben lernen! Nimmst du mich mit in deine Schule?“
„Dich? Eine Fee? Das geht bestimmt nicht.“ Loretta schüttelte den Kopf.
„Das geht doch! Das geht doch!“ sang die kleine Fee fröhlich.

Herr Sommerkiel

Und es ging wirklich.
„Ich heiße Fee und bin Lorettas Freundin“, sagte die kleine Fee am nächsten Morgen zu Lorettas Lehrer. Sie war einfach mit in die Schule gegangen. „Ich möchte auch Lesen und Schreiben lernen. Das kann ich nämlich noch nicht.“

Herr Sommerkiel, der Lehrer, war so
verwundert, daß es ihm die Sprache
verschlug.
Doch als die kleine Fee ihn mit ihren
merkwürdig hellen Augen ansah, nickte
der Lehrer freundlich.
„Danke!“ sagte die kleine Fee
und setzte sich neben Loretta.

Feen lernen immer alles rasch, sie müssen
sich dabei nicht einmal groß anstrengen.
So kam es, daß die kleine Fee es in der
Schule bald schrecklich langweilig fand.
Sie gähnte laut, mitten beim Diktat-
schreiben. Und dann – schwupps –
verschwand sie plötzlich!
Nanu!
Herr Sommerkiel rieb sich die Augen.
Wo war denn Lorettas Freundin?
Hatte sie sich etwa unter den Tisch
verkrochen? Der Lehrer stand auf
und sah unter den Tisch. Nichts!
Loretta kicherte.
Der Lehrer ging zurück und wollte sich
setzen. „Was gibt's da zu kich…"
Er sah streng zu Loretta hinüber…
„AUA!"
Herr Sommerkiel sprang auf.
Jetzt lachte und kicherte die ganze Klasse.

„Sowas", murmelte der Lehrer und
schüttelte den Kopf. Da saß doch die
neue Schülerin auf seinem Lehrerstuhl!
Er wollte gerade schimpfen –
aber sie sah ihn wieder mit ihren
merkwürdig hellen Augen an, und er
diktierte weiter.
Alle schrieben eifrig.
Da ging das kleine Mädchen zu seinem
Platz zurück und schrieb mit.

Kuchenmatsch

„Bist du nun bald groß?" fragte
Loretta die kleine Fee,
als sie sich am nächsten Nachmittag
wieder im Garten trafen.
„Noch lange nicht", sagte die kleine Fee.

Traurig saß sie auf der Schaukel.
Lorettas Opa hatte die Schaukel
im Birnbaum aufgehängt.
„Aber warum denn nicht?“
fragte Loretta. „Du kannst doch
schon lesen und schreiben.
Und viel besser als ich.“
„Aber die Großen Feen haben gesagt,
das reicht noch nicht.“

„Was sollst du denn noch alles lernen?
Vielleicht Kuchen backen, oder ..."
„Kuchen backen? Was ist das denn?"
Loretta staunte. Die kleine Fee wußte
nicht einmal, was Kuchen backen ist!
„Meine Mami backt einen superköstlichen
Napfkuchen mit Rosinen! Hmm, der
schmeckt!"
„Und deine Mami, ist die schon
erwachsen?" fragte die kleine Fee
neugierig.
„Fragst du aber dumm! Mami ist schon
ihr ganzes Leben lang erwachsen."
„Juii ..." Die kleine Fee jauchzte
und schaukelte höher und höher.
„Ich möchte auch Kuchen backen lernen.
Dann bin ich endlich groß!" rief die
kleine Fee.
„Und dann darfst du mit Hokus-Pokus-
dreimal-schwarzer-Kater alles zaubern!"
rief Loretta begeistert.

„Hokus-Pokus, schwarzer Kater, alles, was ich will! Huiii!“
Loretta sah sich um.
Wo war denn bloß die kleine Fee?

Da zupfte es an Lorettas Kleid,
aber die kleine Fee war nicht zu sehen.
„Du...“, das war die kleine Fee.
„Ob deine Mami mir zeigt, wie man
Kuchen backt?“
„Aber klar! Doch du mußt dich zuerst
wieder sichtbar machen!“ sagte Loretta.

„Mami, das ist meine Freundin Fee!“
rief Loretta, als sie im Haus waren.
„Kannst du ihr zeigen, wie man
Napfkuchen mit Rosinen macht?“
„Warum nicht!“ sagte Lorettas Mami.
Und die kleine Fee durfte den Kuchen
ganz allein backen.
„Das wird bestimmt lauter Kuchen-
matsch“, sagte Loretta und prustete.
Lorettas Mami gab der kleinen Fee
einen elektrischen Teigrührer
in die Hand. Die kleine Fee
guckte das Ding ängstlich an;
was sollte sie bloß damit?

Lorettas Mami machte ihr Mut:
„Damit kannst du den Teig ganz schnell rühren. Es ist gar nicht schwer, du mußt nur gut festhalten!“
Die kleine Fee blickte immer noch ängstlich. Aber sie hielt das Gerät tapfer fest. Da schaltete Lorettas Mami den Rührer an.
O weh! Es knallte und zischte!
Funken sprühten.

Wie ein wildgewordener Esel fuhr
der Rührer durch den Teig.
Der Teig spritzte nach allen Seiten.
Warum hielt denn die kleine Fee den
Teigrührer nicht fest?
Konnte sie nicht, weil sie nicht da war!
Lorettas Mami zog schnell den Stecker,
und Loretta wischte sich die Teigklumpen
aus den Augen.
Wo war die kleine Fee?
Sie hing jammernd an der Küchenlampe.
„Wie bist du denn dort raufgekommen?“
rief Loretta.
Sie dachte nach. Feen dürfen wohl
keine elektrischen Geräte anfassen...?
Na klar!
„Ich will runter! Helft mir doch!“
jammerte die kleine Fee. Da breitete
Lorettas Mami die Arme aus, und
die kleine Fee ließ sich fallen.
„Ist ja noch mal gut gegangen, Kleines“,
tröstete sie.

„Und womit wollen wir jetzt den Kuchen backen?“ fragte Loretta und sah in die Teigschüssel. Es war nur noch ein kleiner Rest drin.
„Das werden wir gleich haben“, sagte Lorettas Mami und gab Butter, Eier, Zucker, Milch und Mehl zum Teigrest in die Schüssel, und auch noch eine Handvoll Rosinen dazu.

Die kleine Fee durfte alles zu einem Teig verrühren. Natürlich mit dem Holzlöffel. So entstand der leckerste Napfkuchen, den man sich vorstellen kann.
Und die kleine Fee, Loretta und ihre Mami ließen sich den Kuchen schmecken. Auch Puppe Annabella saß dabei und bekam Kuchenkrümel in den Mund gestopft.

Karin und der Streit

Am nächsten Tag lief Loretta gleich
nach der Schule in den Garten. Sie setzte
sich auf die Gartenbank und wartete.
Hoffentlich kommt die kleine Fee bald,
dachte Loretta.
Doch die kleine Fee ließ sich nicht
blicken.
„Vielleicht ist sie jetzt erwachsen.
So wie meine Mami", flüsterte Loretta
Puppe Annabella ins Ohr. „Und wenn
sie nun nie mehr wiederkommt?"
Als Loretta aufblickte, stand die kleine
Fee vor ihr. Loretta blinzelte; die kleine
Fee sah aus wie immer.

„Bist du jetzt groß?“ fragte Loretta.
„Nein.“ Die kleine Fee ließ den Kopf hängen.
„Aber du kannst doch jetzt Napfkuchen mit Rosinen backen.“
„Na und? Das ist doch nichts Besonderes! Haben die Großen Feen gesagt.“

Loretta wurde ärgerlich: „Ich möchte wissen, was du noch lernen mußt!“
„Ich auch...“ Die kleine Fee fing an zu schluchzen.
„Bitte nicht weinen“, sagte Loretta.
Doch die kleine Fee schluchzte immer lauter. „Wenn du weinst, muß ich auch weinen. Und Puppe Annabella auch“, schniefte Loretta.
„Huhuuh.“
„Bu-huuh!“

Das hörte Karin.
Sie hatte allein am Gartenzaun gespielt.
Sie lauschte.
Es war niemand zu sehen.
Ob sie sich näher wagen sollte?
Als das Weinen immer lauter wurde, ging Karin in den fremden Garten.
Da sah sie die beiden Heulsusen.
Zögernd fragte sie:
„Warum... weint ihr denn?“

Loretta sah hoch.
„Das geht dich gar nichts an!“
sagte sie heftig.
„Aber … wenn ihr weint … Vielleicht
kann ich euch helfen?“ sagte Karin leise.
„Du? Die doofe Karin? Du kannst
überhaupt nicht helfen!“
„Ach …“ Karin blickte zu Boden.
„Wieso ist Karin doof?“
fragte die kleine Fee.

„Na, die muß doch hundertmal überlegen,
ehe sie antwortet. Karin ist und
bleibt doof. Bäh!“
Loretta streckte Karin die Zunge raus.
„Mach, daß du wegkommst!“
Jetzt füllten sich Karins Augen mit
Tränen. Keiner mochte sie leiden. Alle
schickten sie weg. Auch Loretta.
Karin sah zu den beiden Mädchen,
dann ging sie.

„Nein, halt!“ rief die kleine Fee.
Sie sprang auf und lief hinter Karin her.
„Ich finde dich nicht doof.
Wirklich nicht. Ich finde dich sehr nett!
Willst du mit mir spielen?“
Karin starrte die kleine Fee mit offenem Mund an. Loretta hatte sie noch nie gefragt, ob sie mit ihr spielen wollte.
Karin nickte verlegen.
„Fein!“ sagte die kleine Fee, nahm der verdutzten Loretta die Puppe Annabella weg und drückte sie Karin in die Arme.

„Da! Annabella möchte auch mit dir spielen.“
„Gib sofort meine Puppe her!“
Wütend riß Loretta die Puppe an sich.
„Aber Loretta!“ rief die kleine Fee.
„Wie kannst du der meine Puppe geben?“ schrie Loretta wütend. „Das ist gemein von dir. Ganz gemein! Ich denke, du bist meine Freundin!“
„Und Karins Freundin auch!“ sagte die kleine Fee. Sie nahm Karin an die Hand.
„Pah! Dann spiel doch mit der doofen Nuß!“ schrie Loretta zornig und rannte ins Haus.

Karins neue Freundin

Von nun an spielten die kleine Fee und Karin zusammen. Hinter dem Haus war eine Wiese. Dort bauten sie sich ein Haus aus Zweigen und Blättern.
Karin war die Frau Pampelmuse, und die kleine Fee war der Herr Tatzelwurm.
Sie spielten Seilhüpfen und Verstecken, und die kleine Fee brachte Karin Purzelbaum bei.
Das konnte Karin noch nicht.
Karin war glücklich.
Wenn nur Loretta nicht so böse fortgelaufen wäre!
Das tat Karin schrecklich leid.
„Das braucht dir nicht leid zu tun“, tröstete die kleine Fee. „Die wird schon wiederkommen!“
Und richtig, Loretta kam wirklich wieder.

Erst blickte sie über den Gartenzaun.
Dann ließ sie einfach Puppe Annabella über den Zaun fallen.
„Darf Karin mit Puppe Annabella spielen?“ fragte die kleine Fee.
Eigentlich wollte Loretta nein sagen, aber komisch, sie sagte: „Ja.“

„Na endlich!“ sagte die kleine Fee.
Karin sah Loretta ängstlich an. Aber Loretta hob einfach Puppe Annabella auf und gab sie Karin.
„Ich hab es nicht so gemeint mit der doofen Nuß. Ich finde, du bist überhaupt nicht doof!“ entschuldigte sich Loretta.
„Das ist Karin auch nicht!“ sagte die kleine Fee.

Kleine Große Fee

Nun spielten die drei zusammen.
Loretta war die Mami. Puppe Annabella
war das Baby, das gebadet und gewickelt
wurde. Und das Baby mußte vor dem
Kater Murks gerettet werden,
der es immer wegschleppen wollte.
Die drei hatten viel Spaß miteinander.
Doch als es Abend wurde, blieb die
kleine Fee mitten im Spiel stehen.

Loretta wollte fragen, was denn los sei, doch sie brachte keinen Ton heraus. Die kleine Fee sah auf einmal so anders aus. Ein wunderschönes Mädchen in einem Blütenkleid stand vor Loretta und Karin. Es winkte den beiden zu und war plötzlich verschwunden. Ein bunter Schmetterling flatterte herbei, setzte sich auf Karins Hand und flog nach einer Weile weiter.

„Oh!“ Karin rückte ganz nahe an Loretta heran. „Die kleine Fee, was ist mit ihr?“
„Bestimmt ist sie jetzt groß und erwachsen“, flüsterte Loretta.
Karin sah sie fragend an.
„Ja. Die kleine Fee wollte schnell groß werden, damit sie alles zaubern kann. Deshalb hat sie viel Kirschsuppe gegessen, Lesen und Schreiben gelernt und dann einen Napfkuchen gebacken.“
Loretta überlegte, dann erzählte sie eifrig weiter: „Aber wer das kann, ist noch lange nicht groß!“
„Warum nicht?“
„Das ist doch alles nichts Besonderes“, antwortete Loretta wichtig.
„Und was ist etwas Besonderes?“ fragte Karin.

„Weiß nicht“, Loretta zuckte die Schulter.
„Niemand wollte mit dir spielen“, sagte sie nachdenklich.
„Nur die kleine Fee, die hat gleich mit mir gespielt!“ sagte Karin.
„Genau, das ist es! Sie hat uns geholfen! Daß wir zusammen spielen, das hat die kleine Fee gezaubert! Und deshalb ist sie jetzt eine Große Fee. Das ist doch was Besonderes, oder?“

Über die Illustratorin

Christa Unzner-Fischer

wurde 1958 in Schöneiche bei Berlin geboren. Sie wollte eigentlich Ballett-Tänzerin werden, hat aber zunächst Schaufensterdekorateurin gelernt. Danach studierte sie Gebrauchsgrafik, arbeitete in einer Werbeagentur, beteiligte sich nebenher mit ihren Buchillustrationen zu E. T. A. Hoffmann an einem Wettbewerb und gewann den dritten Preis. Seit 1982 arbeitet sie als freischaffende Illustratorin, veröffentlicht vorwiegend Kinder- und Bilderbücher. Sie liebt Feen und Märchengestalten – und „Alice im Wunderland". Christa Unzner-Fischer ist verheiratet und lebt in Berlin-Köpenick.

Über die Autorin

Gerda Marie Scheidl

wurde in Bremerhaven-Geestemünde geboren. Sie studierte in Wien Tanz, nahm Schauspielunterricht, wurde auch gleich engagiert und lernte in Bremerhaven ihren Mann, den Opernsänger Otto Scheidl, kennen. Es folgten einige Jahre als Tänzerin. Ihre Theater-Erfahrung spornte sie bald an, für Kindertheater zu arbeiten. Sie leitete eine private Kinderbühne, führte Regie, entwarf die Kostüme und Bühnenbilder und schrieb die Stücke. Später schrieb sie auch Märchen und Kinderbücher. Sie liebt es, Kindern Geschichten zu erzählen, und wenn sie aus ihren Büchern vorliest, dann sind das jedesmal kleine Theateraufführungen.

Kinder lernen Lesen:
durch Selberlesen!

In der Reihe **Ich lese selber** erscheinen im Nord-Süd Verlag Bücher für Kinder, die mit dem Selberlesen anfangen.

Diese Bücher sollen Freude bereiten und den Spaß und die Lust am Lesen fördern. Sie wollen neugierig machen, Anreiz bieten, die vielfältigen, unterschiedlichen Interessen der Kinder berücksichtigen.

Diese Reihe schlägt eine Brücke vom Bilderbuch zum Kinderbuch:

- Der im Verhältnis zum Text **sehr hohe Anteil an farbigen Illustrationen** erleichtert Leseanfängern den Einstieg in die Geschichten.
- Durch **Gestaltung, Format** und nicht zuletzt durch die Wahl der **Themen** führt die Reihe zum Kinderbuch hin.
- **Lesehilfen** sind dabei:
einfache **Sprache** und Wortwahl, Einteilung jeder Geschichte in **Kapitel** oder andere für Leseneulinge leicht überschaubare Textgliederungen, große **Schrift**, sinnvoller **Zeilen- und Seitenumbruch** und eine den Einstieg ins Lesen erleichternde **Text-Bild-Anordnung**.

Nord-Süd Verlag